철학단편선

생각하는 사람을 빛나게
도와주는 할아버지들

철학단편선

생각하는 사람을 빛나게 도와주는 할아버지들

발행일 | 2022년 4월 15일 1판 1쇄

지은이 | 키르케고르, 임마누엘 칸트, 파르메니데스

번역 | 서미나, 편집부
편집 | 마담쿠, 코디정
디자인 | 정우성
마케팅 | 우섬결

펴낸곳 | 이소노미아
　　　　서울시 종로구 율곡로 2길7 서머셋펠리스 303호
　　　　T | 010 2607 5523　F | 02-568-2502
　　　　Contact | h.ku@isonomiabook.com
펴낸이 | 구명진

ISBN 979-11-90844-24-6

나무의 목숨이 헛되지 않는 책

철학단편선

생각하는 사람을 빛나게
도와주는 할아버지들

키르케고르
임마누엘 칸트
파르메니데스

서미나, 편집부 옮김

일러두기

이 책은 고전의 지혜를 얻으려는 독서가들을 위해 기획되고 제작됐습니다. 이 책의 저본들은 모두 퍼블릭 도메인에 속한 텍스트입니다. 쇠렌 키르케고르의 〈집단은 거짓이다〉는 찰스 벨린저(2014)의 〈The Crowd is untruth〉를 저본으로 삼았습니다. 임마누엘 칸트의 〈계몽이란 무엇인가〉는 메리 스미스(1784)의 영어 번역본을 저본으로 삼고, 대니얼 피델 페러(2013)의 번역본과 국내 연구자들의 번역본(정지인/강유원(2006), 김창원(2017))을 참고했습니다. 파르메니데스의 〈자연에 관한 서사시〉는 헤르만 딜스와 발터 크란츠의 기준 체계에 따라 번역된 여러 번역본 중 비슈와 아들루리(2010)의 영어 번역본을 기준으로 삼되, 로빈 워터필드(2000), 리처드 맥키라한(2010), 레오나르도 타란(1965), 아놀드 헤르만(2004) 등의 번역본을 두루 비교하고 참고하여 번역했습니다. 〈집단은 거짓이다〉는 서미나 번역가가 번역했고, 나머지는 이소노미아 편집부에서 작업했습니다. 형식적인 적확함보다는 저자의 메시지가 한국 독자에게 제대로 전해질 수 있도록 하는 데 초점을 뒀으므로 연구 목적의 번역은 아닙니다. 만약 여러분이 이 책에 수록된 글을 통해 학문적인 관심이 생겼다면 먼저 영어 번역본을 참고하시면서 각각 덴마크어, 독일어, 고대 그리스어 원문을 찾아보시기를 권합니다.

목차

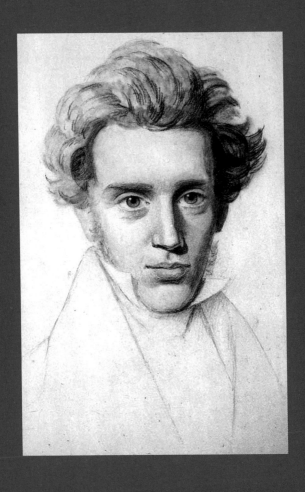

쇠렌 키르케고르
Søren Kierkegaard
1813~1855

덴마크 철학자. 크리스천 사상가. 길지 않은 생애 동안
수많은 글을 남기며 신앙으로서의 기독교를 옹호하고
실존주의의 이정표를 세운 사상가. 독실하고 부유한 개
신교 집안의 아들로 태어났다. 코펜하겐 대학교 신학부
에 입학한 후 한동안 방탕한 생활을 하며 기독교에서
멀어졌지만 곧 원래 자기가 있어야 할 곳으로 되돌아왔
다. 신앙을 옹호하되 교회를 비판하는 방향으로 자신의
사상을 발전시켰다. "기독교는 개인이고, 여기에 있는
단독자다." 키르케고르는 〈이것이냐 저것이냐1843〉, 〈두
려움과 떨림1843〉, 〈철학 단편들1844〉, 〈불안의 개념1844〉,
〈죽음에 이르는 병1849〉 등의 저작과 7000쪽이 넘는 일
기를 남겼다. "지금 내가 죽는다면 사람들은 나와 화해
하고, 나를 인정할 수 있고 또 내가 올바르다는 것을 알
것이다." (1849년 12월의 일기 중에서) 실제로 키르케
고르 사후 그가 인류에 남긴 지혜는 덴마크를 뛰어넘어
여전히 중요하게 여겨지고 있다.

〈집단은 거짓이다〉는 1846년에 써서 1847년 무렵에 발표한 것으로 보인다. 매우 짧은 분량의 글이지만, 키르케고르 사상의 핵심과 그가 이해하는 신앙의 본질을 체감할 수 있다는 점에서 귀한 텍스트이다. 우리 인간은 사회를 이루며 살아가기 때문에 당연히 집단의 일원이 되고, 무엇인가를 '집단적으로' 사고하게 된다. 인간은 자연스럽게 정치적이거나 사회적인 이념뿐 아니라 종교에 대해서도 집단적으로 사고한다. 집단으로서의 삶이 인간의 실존인가? 키르케고르는 이 글을 통해 개인, 단독자로서의 존재가 진정한 실존임을 밝힌다. 그러면서 집단으로 퇴락해 버리는 신앙을 단독자의 개념으로 회복해 낸다.

집단은 거짓이다

The Crowd is Untruth

단독자에게 바치는 헌정사에 관함[A]

키르케고르 주석 A: 지금은 상당히 수정되고 길어졌지만 이 글은 '단독자'를 위한 글과 함께 싣기 위해 쓴 글입니다. '단독자'에 대해서는 〈다양한 영혼이 말하는 교훈적 담론Upbuilding Discourses in Various Spirits〉(코펜하겐, 1847년)에서 보실 수 있습니다.

친애하는 여러분, 이 헌정사를 받아 주십시오. 내 눈을 가린 채 드리므로 편견 없는 진심을 전합니다. 나는 여러분의 이름을 모릅니다. 여러분이 어디에 있는지, 누구신지조차 모릅니다. 그런데도 여러분은 내 희망이자 기쁨이며 긍지이자 미지의 명예입니다.

여러분에게 적절한 때가 왔다는 사실에 마음이 놓입니다. 고심하고 애쓰면서 참으로 이렇게 되기를 바랐습니다. 만약 이 글을 읽는 것이 세속적인 관습이 된다거나, 세상에서 인정받으려고 이것을 읽었다고 하시는 경우라면, 적절한 때는 아니겠지요. 내가 그런 일이 발생하지 않도록 분투하지 않는다면, 오히려 반대로 잘못된 생각이 승리해서는 그것이 나조차 기만할 것이기 때문입니다.

이것이 내가 어느 정도 변화한 점입니다. 기본적으로 정신과 마음의 분위기에서 내가 바라는 것이며, 변화 이상으로는 변화를 일으키지 않으므로 단지 변화만을 만든 것이지요. 오히려 이는 생명, 진리, 구원에 이르는 길을 부분적으로는 철저히 심사숙고한 인정입니다.

집단이 있는 곳에 진리가 있으며, 진리의 편에 반드시 집단이 있어야 한다는 인생관이 있습니다.[B] 한편 다른 인생관도 있습니다. 집단이 있는 곳에 거짓이 있다는 것이며, 그래서 잠시 이 문제의 결론을 멀리도 끌고 갑니다. 모든 개인이 홀로 있을 때 진리를 갖고 있을지라도 그들이 집단으로 함께 모이면(그래서 집단이 **결정권**, 투표권, 소요권, 발언권을 갖게 된다면) 동시에 거짓이 흘러든다는 것입니다.[C]

> 키르케고르 주석 B: 어쩌면 마지막으로 한 번 더 언급하는 편이 좋겠습니다. 나는 일시적이고 세속적인 목적에 관련해서는 집단이 타당성이 있으며 심지어 결정적인 마지막 수단으로서도 타당하다는 점을 부인한 적이 없습니다. 하지만 나는 그런 것에 관해 말하고 있는 게 아닙니다. 주의를 기울이지도 않습니다. 나는 종교윤리적인the ethical-religious 것을 말하고 있으며, 진리를 말

하고 있습니다. 무엇이 진리인지에 관해 집단이 마지막으로 호소할 수 있는 정당한 법정으로 간주된다면 종교윤리적으로 집단은 거짓입니다.

키르케고르 주석 C: 내가 보기에 거의 불필요해 보이지만 다음과 같은 사항도 언급하는 편이 좋겠습니다. 예를 들어 누군가 설교를 했을 때, 혹은 진리를 선언했을 때, 10만 명의 군중 앞에서라도 아니, 열 명뿐이더라도 나는 그들 앞에서 반대하는 의견을 내지 않습니다. 그리고 만약 투표가 행해진다면, 만약 그 무리가 최후의 법정이라면, 만약 집단이 결정권자라면, 그곳에 거짓이 있습니다.

집단은 거짓이기 때문입니다. 바울이 한 말 〈오직 상을 받는 사람은 한 사람only one receives the prize〉(고린도전서 9:24)은 영원히, 경건히, 기독교

답게 타당합니다. 이것은 비교에 의한 말씀이 아닙니다. 비교 속에서는 여전히 다른 사람들이 존재하기 때문입니다. 다시 말하면, 하나님의 도움으로 모두가 그 한 사람이 될 수 있지만 오직 상을 받는 사람은 한 사람입니다. 다시 말씀드리면, 모든 사람은 조심스럽게 다른 사람들과 관계를 맺어야 하지만, 본질적으로는 오직 하나님과 자기 자신의 대화입니다. 오직 상을 받는 사람은 한 사람이기 때문입니다. 또 다시 말씀드리자면, 인간은 신과 친밀한 관계 안에 있습니다. 혹은 인간이 된다는 것은 신과 친밀한 관계 안에 있다는 것입니다. 세속적이고 통속적이며 분주하고 사교적인 사람은 이렇게 말합니다. "오직 한 사람만 상을 받는다니 터무니없소. 여럿이 합쳐야 상을 받을 가능성이 커지는 것이오. 그리고 우리가 다수가 되면 더 확실해지고 개인에게도 훨씬 수월해진단 말이오." 확실히 **가능성은 더 증대** 됩니다. 세속적이고 감각적인 상에 관해서 말한다면 사실이기도 합니다. 이 견해가 우세하면 이것이 유일한 진리가 됩니다. 이런 관점이 하나님과 영원, 인간과 하나님의 친밀한 관계를 모두 폐지할 것이기 때문입니다. 그것을 폐지하거나 아니면 우화로 바꿉니다. 그리고 신사상 — 사실 과거의 이교도들과 다르지 않은 —을 그 자리에 들여놓게 되므로 인간이 된다는 것은 이성이 부여된 어느 혈통의 표본이 되는 것과 같습니다. 그러면 그 혈통, 그 종이 개인보다 더 우위를 차지하거나, 아니면 단지 표본들만 존재할 뿐 개인들이 존재하는 게 아니게 됩니다. 그러나 속세를 높이 뛰어넘는 영원은 밤하늘처럼 고요합니다. 찬양과 지복의 나라, 하늘에 계신 하나님은 조금도 현혹됨이 없으시며 수없이 많은 인간을 바라보시고 각각의 단독자single individual 모두를

21

아십니다. 그분, 위대한 심판관이신 그분께서 말씀하십니다. 오직 상을 받는 사람은 한 사람이라고. 즉 모두가 받을 수 있고, 모두가 스스로 상 받을 사람이 돼야 하지만, 오직 상을 받는 사람은 한 사람입니다. 따라서 집단이 있는 곳 혹은 집단이 있다는 사실에 결정적인 중요성을 둔 곳, **그곳에서는** 아무도 가장 고귀한 목적을 향해 일하며, 살고, 분투하지 않습니다. 오직 이런저런 세속적 목표만을 향할 뿐입니다. 왜냐하면 영원함은, 결정적인 것은 단독자가 있는 곳에서만 작용될 수 있기 때문입니다. 스스로 단독자가 되려는 것은 하나님이 여러분을 돕도록 바라는 것이며, 이는 누구나 할 수 있습니다. — 집단은 거짓입니다.

집단은, 이것이냐 저것이냐가 아니라, 지금 살아 있는 것이냐 오래 전에 죽은 것이냐, 낮은 자들의 무리냐 귀한 자들의 무리냐, 부자냐 가난한 자냐 등이 아니라, 바로 그 개념^{D}에서, 거짓입니다. 집단은 단독자로 하여금 온전히 회개하지 않게 하고 무책임하게 만듭니다. 아니면 단독자의 책임을 무리의 일부로 나눔으로써 약화시킵니다. 주목하십시오. 가이우스 마리우스[1]에게 감히 손댈 수 있는 군인은 한 명도 없었습니다. 이것이 진실이었습니다. 그러나 만약 집단을 자각하거나 집단적인 것을 생각한 서너 명의 여성이 있고, 누가 그런 행동을 했는지, 누가 먼저 시작했는지 사람들이 알아낼 수 없다는 가능성이 확실하게 주어진다면, 그때 그 여성들은 용기를 내서 그를 해칠 수 있습니

---

[1] Gaius Marius 157~86 BC. 로마공화정의 장군이자 정치가. 7번이나 집정관을 역임했으며 로마 제국의 기초를 마련했다고 평가되는 인물.

다. 얼마나 진리와 동떨어져 있는 것인지요!

> 키르케고르 주석 D: 그러므로 독자는 여기에 나오는 집단을 순수하게 형식적이고 개념적 정의로 이해해야지, 인간의 이기심이 불경하게도 인간을 집단과 귀족 따위로 나누는 경우의, 집단도 마찬가지로 하나의 자격으로 가정하는 경우의 특정 집단으로 이해해서는 안 된다는 점을 떠올릴 것입니다. 하늘에 계신 하나님, 어찌하여 종교가 이런 비인간적인 평등에 이르렀단 말입니까. 아닙니다. 집단은 귀족, 백만장자, 고위 관리 집단의 수처럼 숫자에 불과합니다. 숫자가 작용하는 순간 집단은 특정 집단이 되고 맙니다.

먼저 집단 속에 있는 **단독자**만이 하는 일, 혹은 모든 경우에 저마다 **단독자**가 하는 일을 집단이 한다는 말은 거짓입니다. 집단은 추상적 관념이며 손이 없기 때문입니다. 반면 단독자는 두 손이 있습니다. 단독자로서 누군가 가이우스 마리우스에게 두 손을 댄다면 그것은 단독자의 두 손이지, 이웃의 손도, 손이 없는 집단의 손도 아닙니다.

다음으로 집단이 용기를 낸다는 것도 거짓입니다. 가장 비겁한 단독자조차 지금껏 단 한 번도 집단이 항상 그랬던 것보다 비겁하지는 않았기 때문입니다. 집단 속으로 탈출하는 모든 단독자, 그러므로 단독자가 되는 것(가이우스 마리우스에게 손을 댈 용기가 있거나 또는 그럴 용기가 없었음을 인정하는 용기를 지닌 사람)에서 벗어나 비겁 안으로 도망가는 단독자는 비겁함의 자기 몫을 집단이라는 비겁에 제공했습니다. 가장 높으신 분 그리스도를 생각해 보십시오. 또한 지금껏 태어난 그리고 앞으로 태어날 모든 인류, 모든 인간을 생각해 보십시오. 개인으로서 단독자로 그분과 홀로 있는 상황에서, 그분에게 다가가 침을 뱉을 용기나 뻔뻔함이 있는 사람은 지금껏 없었고 앞으로도 절대 없을 것입니다. 이것이 진실입니다. 하지만 집단 속에 있으므로, 그들은 그럴 용기를 가집니다. 얼마나 무서운 허위untruth입니까.

집단은 거짓입니다. 그러므로 집단을 이끄는 일을 업으로 하는 사람보다 인간 존재의 의미를 모독하는 자는 없습니다. 어떤 개별 인간이 그런 사람에게 다가간다고 생각해 보십시오. 그 리더는 그 사람에게 어떤 관심을 보이겠습니까. 너무 작은 일이라고 생각하면서 리더는 그를 당당하게 돌려보냅니다. 적어도 백 명은 돼야지 하면서 말이지요. 그런데 만약 수천 명이 있다면, 그제야 집단 앞에서 고개를 숙여 예를 갖출 것입니다. 이 얼마나 허위입니까! 아니지요. 사람은 개별 인간이 있는 곳에서 인간 존재의 의미를 존중하며 진리를 표현해야 합니다. 누군가 매정하게 말하는 것처럼, 불쌍하고 궁핍한 인간이 있을 것입니다. 그렇다면 특별히 그 사람을 가장 좋은 방으로 초대해야 하며, 낼 수 있는 여러 목소리 중에서도 가장 친절하고 상냥한 목소리로 대해야 합니다. 이것이 진리입니다. 한편 수천 명 이상이 모인 무리에서 진리가 투표의 대상이 된다면, 여러분은 하나님을 경외하면서 표현해야 합니다. 만일 여러분이 마음속으로만 우리를 '악에게 구하옵소서'라고 읊조리길 원치 않는다면, 여러분은 하나님을 경외하는 마음으로 표현해야 합니다. 집단은 이 최종 법정으로서 윤리적으로나 종교적으로나 거짓이라고, 반면 모든 사람이 단독자가 될 수 있음은 영원한 진리라고. 이것이 진리입니다.

집단은 거짓입니다. 그러므로 그리스도는 십자가에 매달렸습니다. 왜냐하면 그분께서 모든 사람을 향해 말씀하시되 무리와는 상관없는 일이며, 무리가 어떤 식으로든 그분을 돕도록 하지 않으셨으며, 그분께서는 이와 같이 무리를 외면하시어 어떤 당파도 찾지 않으시고 투표도 허락하지 않으시되 그분의 의미가 단독자와의 관계에서 진리가 되도록 하셨기 때문입니다. 그러므로 진리 안에서 진리를 섬기는 모든 사람은 **바로 그 사실 자체로** *eo ipso* 어떤 식으로든 순교자입니다. 만약 인간이 어머니의 뱃속에 있을 때 진리 안에서 진리를 섬기겠다는 결정을 내릴 수 있다면 그 역시 **바로 그 사실 자체로** 순교자이나 그 순교의 고통은 어머니의 뱃속에서 시작될 것입니다. 집단을 사로잡기 위해서 그렇게 대단한 속임수는 필요하지 않습니다. 약간의 재주와 소량의 거짓과 인간의 격

정적인 감정에 관한 조금의 지식만이 필요합니다. 하지만 진리의 증인 중 아무도 — 아, 여러분과 나, 우리 모두가 진리의 증인이 되어야 할 텐데 — 감히 집단과 상대하려 하지 않습니다. 진리의 증인은 천성적으로 정치와 아무 관계가 없으며 정치인으로 보이지 않기 위해 최선을 다합니다. 진리에 관해 하나님을 경외하는 자가 하는 일은 가능한 모든 사람을 상대합니다. 그러나 거리에서든 도로에서든 항상 개인적으로, 사적으로 대화하며, 집단과의 관계를 끊거나 개인에게 말합니다. 이는 집단을 형성하려는 게 아니라, 이 사람 혹은 저 사람이 무리로부터 벗어나 단독자가 되기 위함입니다. 반대로 집단이 진리와 관련해 최후의 법정으로 간주될 때, 진리의 증인은 **그런** 심판으로서 집단의 심판을 정숙한 여인이 무도장을 경멸하는 것보다 더 크게 경멸할 것입니다. 그리고 진리의 증인은 집단을 최후의 법정이라고 말하는 자들을 거짓의 노리개라고 생각합니다. 반복해서 말씀드립니다. 정치 그리고 정치와 비슷한 영역에서 정당성이 있는 것이 지적, 영적, 종교적 영역으로 전해질 때 어떨 때에는 전체적으로, 또 어떨 때에는 부분적으로 거짓이 됩니다. 과장된 경고가 될 것 같은 위험을 무릅쓰고, 이 말을 덧붙이겠습니다. 진리, 그것을 나는 언제나 영원한 진리로 이해합니다. 하지만 정치나 그와 유사한 것은 영원한 진리와 전혀 관계가 없습니다. 정치politics가 진정한 의미의 영원한 진리를 현실의 삶에 실현하기 위해 진지하게 노력한다면 바로 그 순간 가장 지각없는 impolitic 일을 하고 있다는 사실을 스스로 드러낼 것입니다.

집단은 거짓입니다. 항상 영원에 대한 열망을 배

울 수 있기를 바라면서 고대의 엄청난 고통과 비교해서도 끔찍한 우리 시대의 고통을 생각할 때마다 나는 눈물이 날 것 같습니다. 진리에 관한 최후의 법정을 자임하는 대중the public이라는 추상적 개념이 일조하면서 일간 신문과 익명성이 우리 시대를 더 어리석게 만들기 때문입니다. 그런 주장을 하는 무리는 당연히 존재하지 않지요. 특정 상황에서는 필경 개인적으로 말을 꺼낼 용기도 없는 것에 관해, 그 익명의 누군가는 언론을 통해 날이면 날마다 원하는 대로 말합니다(심지어 지식, 윤리, 종교에 관해서). 그가 주둥이를 열 때마다(입이라고 부를 수도 없습니다) **동시에** 수천 명에게 말합니다. 그리고 수만 명이 그의 말을 그대로 옮길 수 있지만 아무도 책임지는 사람이 없습니다. 고대에는 상대적으로 회개하지 않는 집단의 힘이 막강했으나, 지금은 절대적으로 회개하지 않는 것이 있습니다. 익명의 모두가 그러합니다. 익명의 저자, 익명의 대중, 심지어 익명의 구독자들까지. 그러므로 아무도 회개하지 않습니다. 아무도 회개하지 않습니다! 하늘에 계신 아버지, 그런 상태로 자신들을 기독교도 신분이라고 부릅니다. 누구든 언론을 통해 진리가 거짓과 오류를 이길 수 있다고 말해서는 안 됩니다. 오, 이렇게 말하는 여러분께서 스스로에게 물어 보십시오. 여러분은 집단 속에 있는 인간이 언제나 맛있게 준비되어 있는 거짓보다 항상 구미에 맞지는 않는 진리 쪽에 더 빨리 손 내민다고 감히 주장하십니까? 사람은 스스로 기만당한다는 사실을 인정해야 합니다. 아니면, 여러분은 진리가 거짓만큼 재빨리 이해될 수 있다고 감히 주장하는 건가요? 진리가 지식도, 교육도, 규율도, 절제도, 자기 부정도, 자신을 향한 정직한 염려도, 인내하는 수고도 없이 얻을 수 있단 말입니까! 아닙니다. 세력을 넓히기만을 욕망하는 거짓을 경멸하는 진리는 발이 빠르지 않습니다. 우선 진리는 거짓처럼 공상을 통해 실현되지 않습니다. 진리의 전달자는 오직 단독자입니다. 그리고 진리는 단독자에게 스스로를 내보입니다. 이런 인생관에 따르면 단독자가 바로 진리입니다. 하나님 앞에 서기 전까지, 하나님의 도움 없이, 하나님이 중간자로 개입하지 않는다면, 진리는 전달될 수도 받을 수도 없습니다. 하나님이 진리이기 때문입니다. 그러므로 진리는 단독자에게만 전달되고 수여되며, 이를 위해 살아있는 모든 인간은 단독자가 될 수 있습니다. 이는 진리의 결단입니다. 추상적이고, 공상적이며, 인격이 없는 집단(대중)과는 다릅니다. 집단은 중간자로서 하나님을 배제하며(**인격적인** 하나님은 **비인격적** 관계에서 중간자가 되지 못하므로), 그러므로 또한 진리를 배제합니다.

하나님이 진리이자 중간자이기 때문입니다.

또한, 모든 개인을, 조건 없이 모든 인간을 존중하는 것, 그것은 진리요, 하나님을 경외하는 것이요, 이웃에 대한 사랑입니다. 그러나 종교 윤리 관점에서 볼 때, 집단을 진리에 관해 최후 법정으로 승인하는 것, 그것은 하나님을 부정하는 일이요, 이웃을 사랑한다고 도저히 볼 수 없는 일입니다. 또한, 이웃은 인간의 평등을 나타내는 절대적으로 옳은 표현입니다. 모든 이가 진정으로 이웃을 자기 자신처럼 사랑한다면 온전한 인간 평등이 무조건 달성됩니다. 진정으로 이웃을 사랑하는 사람은 무조건적인 인간 평등을 표현합니다. 이웃을 사랑하는 일이 과업임을 진정으로 아는 사람은(자신의 노력이 미약하고 완벽하지 않다는 사실을 나처럼 인정하더라도) 인간 평등의 의미도 압니다. 하지만 나는 성경에서 〈너희는 집단을 사랑하라〉는 계율을 읽어본 적이 없습니다. 하물며 종교윤리적으로, 〈집단을 진리의 최후 법정으로 승인하라〉는 계율은 더더욱 읽은 적이 없습니다. 이웃을 사랑하는 행동은 자기 부정임이 틀림없습니다. 그러나 집단을 사랑하거나 집단을 사랑하는 척하며 행동하는 것은, 그래서 집단을 진리의 최후 법정으로 만드는 것은 진실로 권력을 얻으려는 방법이요, 온갖 세속적인 이익을 취하려는 방법임이 분명합니다. 그러나 이는 거짓입니다. 집단이 거짓이기 때문입니다.

지금까지의 견해를 인정하는 사람은 — 좀처럼 나타나지 않습니다. 집단을 거짓이라고 믿는 사람은 자주 목소리를 내지만, 집단이 **일제히**en masse 그 사람의 의견을 받아들이지 않으면 아무 일도 일어나지 않기 때문입니다. — 자신이 미약하고 무능하다는 사실도 시인합니다. 단독자가 어떻게 권력을 가진 다수에 대항하겠습니까! 그러나 그 사람은 자기 생각을 관철하기 위해 집단을 자신 편으로 만들기를 원하지도 않습니다. 종교윤리적으로 집단을 최후의 법정으로 삼는 것은 거짓이기 때문입니다. 또한 그것은 자기 자신을 조롱하는 일입니다. 그러나 애초에 미약함과 무능함을 시인하는 이 견해가 사람들에게 매력적이지 않아 거의 들리지 않더라도, 그럼에도 좋은 특징이 있습니다. 공정하다는 것입니다. 누구도, 어느 한 사람도 불쾌하게 하지 않습니다. 어떤 이에 대해서도 사람들을 차별하지 않습니다. 집단은 이런 단독자들로 구성됩니다. 따라서 모든 사람에게는 그 자신, 즉 단독자가 될 힘이 분명히 있습니다. 다수가 되려고 스스로 방해하지 않는 이상, 단독자가 되는 데 어떤 방해도 없습니다. 반대로 집단이 되고 주변에 집단이 모이도록 하면 생명을 차별합니다. 집단에 대해 말하는 가장 선의의 뜻을 가진 사람조차 어떤 단독자를 쉽게 성나게 합니다. 그러나 권력, 영향, 명성, 우위를 가진 쪽은 집단입니다. 집단은 생명을 차별합니다. 단독자를 약하고 무능하다고 여기고는 폭압적으로 무시합니다. 그것은 세속적인 방식으로 영원한 진리 — 단독자를 무시하는 것입니다.

키르케고르 주석: 독자들은 이 글이 원래 1846년에 쓰였으나 후에 수정되고 상당히 길어졌다는 사실을 알 것입니다(이 글의 도입부에는 내가 자처해서 문학적 천박함의 야만성에 노출한 그 시점의 분위기가 엿보입니다). 전능하신 존재께서 그분의 때 이후로 종교윤리적으로 최후의 법정이라고 여겨진 집단은 거짓이라는 명제를

밝혀주셨습니다. 진실로 나는 이 가르침을 잘 섬기고 있습니다. 나 자신을 더 잘 이해하는 데 도움을 받기까지 했습니다. 이제 나는 내 미약하고 외로운 목소리가 말도 안 되게 과장되게 들렸던 당시와는 완전히 다르게 이해될 것이기 때문입니다. 이제 내 목소리는 동일한 것을 말하는 존재의 커다란 목소리에 묻혀 거의 들리지 않습니다.

임마누엘 칸트
Immanuel Kantr

1724~1804

철학자 칸트는 63세에 이르러 집을 소유할 수 있었다. 쉰일곱 살에 첫 번째 위대한 저작 〈순수이성비판1781〉을 출간했다. 십 년을 넘게 시간강사 생활을 이어가다 마흔여섯 살이 돼서야 자기 고향에 있는 쾨니히스베르크 대학의 철학과 교수가 될 수 있었다. 세상에 자신을 알아주는 이가 드물고 남들보다 성과가 없는 고단한 인생이라면 뒤늦게 빛을 본 칸트의 인생을 떠올려 봄직하다. 평범한 서민의 아들이었으며 젊어서 두각을 나타낸 인물도 아니었고 부와 명예를 위해 활발하게 활동한 사람도 아니었다. 그러나 칸트는 늦은 나이에 빛을 내기 시작한 천재였다. 인류 스스로 과감하게 생각하라는 메시지를 던진 계몽주의 시대를 대표하는 철학자였다. 또한 그 자신이 인류가 현대의 정신세계로 진입할 수 있는 커다란 출입문이었다. 〈도덕 형이상학의 기초1785〉, 〈실천이성비판1788〉, 〈판단력 비판1790〉, 〈영원한 평화를 위하여1795〉, 〈도덕 형이상학1797〉 등을 썼다.

〈계몽이란 무엇인가〉는 1784년 9월 30일에 쓰여졌고 〈월간 베를린〉의 1784년 12월호에 게재되었다. 본래의 제목은 "계몽이란 무엇인가에 대한 답변"(Answering the Question: What is Enlightenment? | Beantwortung der Frage: Was ist Aufklärung?)이지만, 간단하게 줄여서 〈계몽이란 무엇인가〉로 약칭해서 사용한다. 계몽주의가 무엇이며, 계몽주의 핵심이 무엇인지, 그 시대를 살았으며 계몽주의 사상을 대표하는 철학자가 직접 쓴 텍스트이기 때문에 200년이 넘는 세월이 흘렀어도 여전히 읽히고 연구되는 글이다. 이 글이 쓰이기 1년 전, 프로이센 정부에서 공직을 맡기도 한 목사 요한 프리드리히 죌너가 〈월간 베를린〉에 〈결혼식에서 더이상 성직자를 참여시키지 말자는 제안〉이라는 제목의 글을 기고하면서, '계몽'이라는 이름으로 종교의식을 생략한 세속 결혼식의 폐습을 비판했다. 이 기고문에 "계몽이란 무엇인가? 이 질문은 진리란 무엇인가라는 물음만큼이나 중요함에도 나는 이 질문이 답변된 것을 어디에서도 발견할 수 없다."라는 도발적인 질문을 제기했다. 이 기고문을 계기로 프로이센에서 계몽논쟁이 벌어졌고, 그 성과가 바로 칸트의 이 글이다.

2

계몽이란 무엇인가?

What is Enlightenment?

**계몽은 인간이 자처한 미성숙에서 벗어나는 것입
니다.** 미성숙이란 타인의 도움 없이는 스스로 생
각하지 못하는 무능력입니다. 이런 미성숙의 원인
이 지성의 부족 때문이 아니라, 타인이 가리켜 주
지 않으면 결심도 용기도 내지 못하기 때문이라면
스스로 책임져야 합니다. 사페레 아우데![2] 과감하
게 생각하라! 이것이 계몽의 모토입니다.

성년이 돼서 타인의 보호에서 벗어났음에도 어째
서 대부분의 사람이 미성숙한 삶에 머무는지, 어
째서 그토록 쉽게 타인들이 그들의 보호자인 양
나서는 것인지, 그 까닭은 게으르기 때문이요 용

---

[2] *Sapere Aude*. 라틴어 경구. 로마 시인
호라티우스의 〈서간집〉에 나오는 시구.
용기를 내서 알려고 하거나 스스로 현
명해지려는 것을 뜻한다.

기가 없기 때문입니다. 미성숙한 상태로 있는 건 참 편리하지요. 나를 대신해 지식을 담은 책 한 권, 나를 대신해 양심을 갖는 성직자 한 명, 내 섭생을 정해줄 의사 한 명 등등. 그러면 나는 애쓸 필요조차 없겠군요. 돈만 지불할 수 있다면 생각하지 않아도 됩니다. 다른 사람들이 나를 위해 그런 귀찮은 일을 기꺼이 해주겠지요. 여성 전체를 포함하여 대부분의 인류가 성숙한 상태로 발걸음을 내딛는 일은 어렵다고도 하고 매우 위험하다고도 합니다. 그 때문에 고맙게도 그런 사람들에 대한 감독자임을 자임하는 보호자들이 필요하다는 것입니다. 보호자들은 먼저 그들의 가축을 가둬 멍청하게 만든 다음, 이들 온순한 피조물이 보행기 밖으로 감히 나오지 못하도록 세심히 지킵니다. 혼자 걸어 나오려는 경우 그들을 위협할 위험을 보여줍니다. 이런 위험이 그리 대단하다고 볼 수는 없습니다. 왜냐하면 몇 번이고 넘어지다가 결국 걷는 방법을 알게 되기 때문입니다. 하지만 이런 하나의 예만으로도 사람들은 움츠리고, 보통은 겁먹고서 더 이상 어떤 시도도 못하고 맙니다.

그러므로 거의 자기 본성이 돼버린 미성숙 상태에서 스스로 빠져나오는 것은 한 사람의 인간에게는 매우 어려운 일입니다. 그 사람은 심지어 그런 상태를 좋아하게 되고, 앞으로 얼마 동안은 정말로 자기 사고를 하지 못하게 됩니다. 사람들이 그이가 그런 시도를 하도록 놔두지 않기 때문입니다. 타고난 자질을 이성적으로 사용하는, 아니 오용하는 기계 도구들인 제도와 규칙들은 미성숙 상태를 영원히 지속시키는 족쇄들입니다. 설령 누군가 족쇄를 벗었더라도 그것은 가장 좁은 도랑을 불안해하면서 넘은 것에 불과합니다. 이런 종류의 자유로운 움직임에 익숙하지 않기 때문입니다. 이런 까닭에 자기 정신을 가다듬어 미성숙 상태에서 스스로를 구해 낸 다음 안전하게 걸어가는 데 성공하는 사람은 극히 드뭅니다.

그러나 대중은 스스로 계몽될 가능성이 더 큽니다. 그들에게 그저 자유만 허용된다면 계몽은 거의 피할 수 없습니다. 큰 무리의 보호자로 뽑힌 사람들 중에는 스스로 생각하는 사람들이 항상 몇몇 있게 마련이기 때문이며, 미성숙의 멍에를 스스로 벗어버린 다음, 인간 각자가 스스로 생각해야 한다는 소명과 자기 자신에 대한 가치를 이성적으로 평가하는 정신을 이들 스스로 퍼뜨릴 것이기 때문입니다. 여기 별난 점이 있습니다. 자기 힘으로는 계몽할 능력이 없는 몇몇 보호자들의 선동을 받으면, 이전에는 그들에 의해 얽매였던 대중들이 이

후에는 그런 굴레 아래 머물라고 사람들에게 강요한다는 점입니다. 편견을 심어 놓는 일이 이토록 해롭습니다. 대중들은 결국 그런 편견을 심은 장본인이나 그들의 전임자들에게 복수하기 때문입니다. 그러므로 대중은 그저 느리게 계몽될 수 있을 뿐입니다. 혁명은 개인으로부터 비롯된 횡포와 탐욕 또는 포학한 억압을 무너뜨릴 수 있을지도 모르지요. 하지만 사고 방식을 참되게 혁신할 수는 없습니다. 그 대신 새로운 편견이 생각 없는 저 거대한 무리들의 걸음마 줄이 되고, 이것은 옛 편견과 마찬가지입니다.

계몽에 필요한 것은 **자유** 말고는 없습니다. 게다가 그저 자유라 불릴 수 있는 것 중에서 가장 해롭지 않은 자유가 있으니 만사 자신의 이성을 **공적으로 사용**하는 자유입니다. 그러나 지금 사방에서 목소리가 들리는군요. **따지지 마라!** 장교가 말합니다. 따지지 말고 훈련하라! 세무관이 말합니다. 따지지 말고 돈을 내라! 성직자가 말합니다. 따지지 말고 믿어라! (이 세상에서 단 한 명의 통치자가 이렇게 말합니다. "**토론하라.** 여러분이 원하는 만큼 여러분이 원하는 무엇이든. 그러나 **복종하라!**") 여기 자유의 온갖 제한이 있습니다. 그러나 어떤 제한이 계몽의 방해물이 되는 것입니까? 어떤 제한이 방해가 아닌 계몽의 촉진이 되는 겁니까? 나는 답합니다. 자기 이성을 **공적으로** 사용하는 것은 언제나 자유로워야 합니다. 그런 사용만이 인류에게 계몽을 가져다 줄 수 있습니다.

반면 자기 이성을 **사적으로 사용**한다면 자유가 아주 협소하게 제한될 수 있지만, 그렇다고 해서 계몽의 진보가 특별히 방해받지는 않습니다. 그런데

나는 자기 이성의 공적인 사용이란 누군가 **지식인**[3]**으로서** 전체 **독자** 대중 앞에서 이성을 사용하는 것으로 이해합니다. 내가 사적인 사용이라 일컬은 것은 한 사람에게 부여된 시민의 사무 또는 공직에서 자기 이성을 사용하는 것입니다.

오늘날 공동체의 이익에 영향을 미치는 많은 일에는 공동체의 몇몇 구성원이 수동적인 태도를 취할

---

[3] 'Gelehrter'. 영어로는 'scholar'로 번역되는 단어이다. 칸트가 말하려고 하는 취지, 18세기 후반의 독일에서의 '학자'와 21세 현대 한국인에게 이해되는 '학자'의 의미 차이, 그리고 장교/세무관/성직자가 자기 견해를 글로 써서 무엇인가를 공개적으로 밝힐 때 어떤 자격으로 그런 행동을 하는지 등을 종합적으로 고려하여 '학자'가 아닌 '지식인'으로 번역했다.

수밖에 없는 어떤 제도적 기제가 필수적입니다. 이것이 공공 목표를 이루도록 돕는 인위적인 만장일치를 만들어 내거나, 적어도 그 목표들이 와해되는 것을 막을 수 있게 합니다. 이곳에서는 논쟁이 허용되지 않습니다. 복종해야 합니다. 그러나 이 기계의 한 부속이 자신을 동시에 보편적인 공동체의 일원으로 — 세계시민사회의 일원으로 — 여기는 한, (글을 통해 공중에게 말하는 지식인 자격으로 본인을 생각하는 경우라 하겠습니다) 그 사람은 논쟁할 수 있습니다. 이 논쟁은 그이가 수동적 구성원으로 속해 있는 업무들에 해롭지 않을 것입니다. 따라서 복무 중에 있으며 상관으로부터 명령을 받은 장교가 그 명령의 합목적성이나 유용성을 비판하고 싶어한다면 이는 매우 불길합니다. 장교는 복종해야 합니다. 그러나 지식인으로서 군무의 과실을 논평하는 것을, 그리고 그 판단에 대해 자신의 견해를 공중에 제시하는 것을 금하는 것은 정당하지 않습니다. 시민은 자신에게 부과된 세금을 거부할 수 없습니다. 실로 부과된 세금을 납부해야 마땅할 때에 그런 세금을 주제넘게 악평한다면 납세불복을 퍼뜨리는 추문으로서 처벌될 수도 있습니다. 그럼에도 불구하고 이 사람이 지식인으로서 그런 세금 징수가 온당치 않다거나 잠재적 부당함이 있다면서 자신의 반대 견해를 공적으로 표현하는 것이라면 시민으로서의 의무를 위반하는 것이 아닙니다.

마찬가지로 성직자는 그가 섬기는 교회의 교리에 따라 신도들에게 설교할 의무가 있습니다. 그런 조건으로 임명되었기 때문입니다. 그러나 지식인으로서 성직자는 자신의 회중에게 그 교리 안에 있는 오류에 관해 주의 깊게 탐구하면서 얻은

건설적인 생각, 그리고 종교적인 신조와 교회의 개선에 대한 제안을 전할 완전한 자유를 지닙니다. 그것은 실로 성직자의 책무이기도 합니다. 이는 그의 양심에 짐이 되지도 않습니다. 교회의 대표로서 성직자의 직무에 따라 그가 가르치긴 해도, 그것은 자기 마음대로 가르칠 자유가 없는 것을 대표하는 것이기 때문입니다. 그는 타인이 정한 규율 아래에서 타인의 이름으로 말하도록 고용된 사람으로서 말합니다. 그 성직자는 말할 것입니다. 〈우리 교회는 이런저런 것을 가르칩니다. 이것들은 교회가 채용한 논거들이지요.〉 그래서 자기가 완전히 확신하지는 못해도 그런 교리들을 전하는 것으로 신도들을 힘껏 이롭게 할 것이며, 교리를 가르치는 일에 충실할 수 있습니다. 그 교리들에 감춰진 진실이 포함되도록 하는 게 완전히 불가능하지도 않기 때문이며, 하여튼 교리 안에서 자신의 내적인 신앙과 모순되는 것을 발견하지는 않았기 때문입니다. 또한 만약 그 성직자가 그런 모순이 있다고 믿었다면, 양심적으로 직무에 공헌할 수 없었을 것이고, 사임해야만 했을 겁니다.

그러므로 고용된 교사가 회중 앞에서 자신의 이성을 사용하는 것은 오직 사적인 사용일 뿐입니다. 이 경우 그 사람들이 큰 모임일지라도 그저 사사로운 청중에 지나지 않습니다. 이런 견해에서 보자면 사제로서 그 성직자는 자유롭지 않으며 또 자유로워서도 안 됩니다. 다른 사람이 정한 규율을 수행하고 있기 때문입니다. 그러나 자신의 저술을 통해 자기 독자들에게, 즉 세상에 말하는 지식인의 입장에서는, 본인의 이성을 공적으로 사용해야 했던 성직자는 자기 이성을 자기를 위해 사용하고 말하는 제한 없는 자유를 누립니다. 따라서 (종교적인 문제에서) 사람들의 보호자들이 스스로를 미성숙한 상태로 다루는 것은 부조리한 일입니다. 이는 영속적인 부조리를 낳는 부조리입니다.

그런데 예컨대 공의회나 (네덜란드인들의 표현처럼) 고귀한 장로감독회classis 같은 성직자들의 단체가, 변할 수 없는 어떤 교리에 대해 맹세하도록 할 권한을 가짐으로써 모든 구성원에 대한 영속한 보호자역을, 또한 그들을 통해 대중들에 대한 보호자역을 영속화할 수 있겠습니까? 이것은 아주 불가능한 일입니다. 인류에게서 앞으로 일어날 모든 계몽을 영원히 막기로 결정하는 그러한 협정은 그저 무효이며 공허합니다. 그것이 통치자의 권력에 의해, 의회에 의해, 그리고 가장 엄숙한 조약을 통해 승인되었다 할지라도 무효이며 공허합니다. 한 시대가 협정을 맺어 다음 세대가 자신의 오류를 정정하고 계몽을 계속 이어가면서 중대한 식견을 늘리지 못하도록 금할 수는 없습니다. 그것은 이러한 진보에 올바른 운명을 놓고자 하는 인간 본성에 대한 범죄가 될 것입니다. 그러므로 다음 세대는 터무니없고 권한 없는 결정을 거부할 온전한 자격이 있습니다. 어떤 결정이 누군가에게 법률이 될 수 있는 시금석은 모두 이런 질문 속에 있습니다. 〈과연 그런 법률을 자기 자신에게 부과할 수 있는가?〉 더 나은 규율을 기대하면서 분명 짧은 기간 동안에는 특정 규율을 도입하는 것은 가능합니다. 그러나 이런 임시적인 규율이 지속되는 동안에, 각각의 시민이 (특히 지식인으로서 행동하는 성직자 각자가) 공공연하게 현행 제도의 결점들을 비판할 자유가 주워져야 합니다. 이것은 이런 문제들에 대한 공적인 생각이 퍼져갈 때까지,

많은 지식인의 목소리가 모여 — 모든 지식인이 아닐지라도 — 혁신 제안들이 통치자 앞으로 전해질 때까지, 그리고 한편으로 변화된 종교 규율에 대해 자신의 최상의 견해에 따르기로 결정한 신도들을 보호하고, 그러나 다른 한편으로는 옛 제도를 진실로 지지하는 사람들을 해치지 않을 정도로 진전될 때까지 계속돼야 합니다. 그러나 누구도 공적으로 의문을 제기하지 않는 영원한 종교 체제에 찬성하는 것은 말하자면 인류의 향상을 진전시키는 시기를 절멸시키는 일입니다. 이는 결코 허용될 수 없습니다. 어느 한 사람이 자신의 계몽을 미룰 수는 있겠지요. 그러나 잠시 동안일 뿐입니다. 자기 자신에 관하여든 아니면 자기 후손들에 관하여든 계몽을 완전히 포기하는 것은 신성한 인간의 권리를 짓밟고 해치는 일입니다.

어느 한 국민이 자신을 위해 결정하지 않을 일이라면 더더욱 군주가 그런 결정을 해서는 안 됩니다. 통치자로서 그의 신망은 바로 자신의 의지를 전체 국민의 의지와 일치시키는 방법으로 이뤄지기 때문입니다. 만약 진정한 것이든 그렇지 않은 것이든 모든 개선이 시민 질서와 양립한다는 사실을 알기만 한다면, 군주는 신민들이 찾은 자기 정신의 구원에 필요한 것을 하도록 그저 놔둘 수 있습니다. 구원은 군주가 할 일이 아닙니다. 그러나 다른 사람들이 온힘을 다해 자신의 구원을 결정하고 촉진하는 것을 어느 한 사람이 힘으로 막지 못하게 하는 것은 군주가 할 일입니다. 만약 군주가 신민들이 자신의 견해를 표명하는 문제들에 간섭하고 그런 글을 감독한다면 실로 군주의 위엄에 해롭습니다. 군주 자신이 가장 식견을 갖고 있다고 하더라도 마찬가지입니다. 그때 군주는 다음과 같은 비난에 자신을 내놓게 됩니다. 〈시저는 문법학자보다 뛰어나지 않다.[4]〉 더욱이 군주가 자신의 나머지 신민들에 대해 그 나라 안에서 벌어지는 일부 종교적 독재자들의 영적인 폭정을 지지한다면 그 통치력을 더욱 떨어뜨립니다.

〈우리는 지금 **계몽된 시대**에 살고 있는가?〉 이렇게 묻는다면, 답은 이러합니다. 〈아니오.〉 그러나 우리는 **계몽의 시대**에 살고 있습니다. 현재 그런 상황이기는 해도 사람들이 타인의 지도 없이 종교 문제들에 대해 확실하고 올바르게 스스로 생각할 능력을 이미 갖고 있는 것은 분명 아닙니다. 그

---

[4] 칸트는 원문에서 라틴어 경구를 사용했다. "*Caesar non est supra grammaticos.*"

래도 몇몇 징후들은 목표를 향해 나아가는 전망이 펼쳐져 있음을 보여줍니다. 특히 계몽 일반 혹은 스스로 부과한 미성숙에서 벗어나는 것을 방해하는 장애물이 점점 줄어들고 있다는 것입니다. 이런 관점에서 지금은 계몽의 시대이며 프리드리히[5]의 세기입니다.

종교 문제에 대해 신민들에게 아무것도 지시하지

---

[5] Frederich the Great 1712~1786. 프리드리히 2세. 탁월한 군사적 재능을 갖췄을 뿐더러 악습을 폐지하고 학문과 예술을 진흥하면서 종교적 관용 정책을 펼친 독일 프로이센의 왕. 계몽군주로 널리 칭송됐다. 칸트는 신성로마제국의 독일인이 아닌 프로이센의 독일인이며 '계몽군주' 프리드리히 대왕 재위 시절에 이 글을 썼다.

않고 전적으로 자유롭게 놔두는 것이 **자신의 의무**라고 생각한다고 군주가 말해도 그것이 군주의 위엄을 훼손하지 않습니다. "관용"이라는 오만한 이름조차 거부한다면, 군주는 스스로 계몽된 사람입니다. 그런 군주는 최소한 통치에 있어 인류로 하여금 미성숙에서 벗어나게 하고, 모든 이가 양심의 문제에 관해 자신의 이성을 사용하도록 한 첫 번째 사람으로서 고맙게 생각하는 이 세계와 후대의 칭송을 받아 마땅합니다. 그의 치하에서는 공적인 의무에도 불구하고 존경할 만한 성직자들은 기존 신조에서 여기저기 벗어난 부분이 있더라도 지식인으로서의 자기 생각을 자유롭게 또한 공개적으로 세간의 평가 앞에 내놓을 수 있습니다. 공적인 책무에 구속되지 않은 사람이라면 더욱 그러합니다. 이런 자유의 영혼은 국경을 뛰어넘어 확산되고 있으며, 심지어 자기 역할을 잘못 이해한 정부로부터 비롯된 외적인 방해와 투쟁해야 하는 모든 곳까지 퍼지고 있습니다. 우리나라는 자유가 공동체의 통합이나 공적인 화합에 관해 근심을 일으키지 않는다는 빛나는 예이기 때문입니다. 만약 어느 한 사람이 의도적으로 사람들을 야만에 머물도록 힘쓰지 않는다면, 그들 스스로 야만 상태에서 점차 벗어날 것입니다.

나는 계몽주의의 핵심이 인간이 스스로 초래한 미성숙 상태에서 벗어나는 것임을 강조했습니다. 특히 종교적인 문제가 그러했습니다. 왜냐하면 우리의 통치자들은 예술과 학문에 관해서는 신민들의 보호자 역할을 하는 데 관심이 없기 때문입니다. 무엇보다 종교적인 미성숙 상태야말로 가장 해로울 뿐만 아니라 가장 수치스러운 것이기 때문입니다. 그러나 첫 번째[6] 문제를 후원하는 국가 지도자의 사고 방식은 훨씬 더 나아가서 신민들이 자신의 이성을 공적으로 사용하도록, 그리고 그들이 더 나은 체제에 관해 자신의 생각과 현행 제도에 대한 솔직한 비판을 표현하도록 허용하더라도, 지도자의 법령에 아무런 위협이 되지 않음을 알아봅니다. 우리에게는 이미 그런 빛나는 모범이 있으며, 그 어떤 군주도 우리가 칭송하는 그분을 능가하지 못합니다.

---

[6] 예술과 학문 분야에서 사람들이 자유를 발휘하도록 하는 것을 뜻한다. 칸트는 이 단락에서 다른 나라의 통치자들은 예술과 학문에 관심이 없음에 비해 프로이센의 프리드리히 대왕은 예술과 학문을 후원하는 계몽군주임을 강조하고 있다.

스스로 계몽돼 허상을 두려워하지 않을 뿐더로 공공의 평화를 보호할 수 있는 수많은 양병을 거느린 사람만이 그 어떤 자유국가에서도 감히 말할 수 없는 것을 말할 수 있습니다. 〈토론하라. 여러분이 원하는 만큼 여러분이 원하는 무엇이든. 그러나 복종하라!〉 그리하여 이곳에서 기묘하고 예기치 못한 과정이 드러납니다. 넓게 생각한다면 인간사 모든 곳에서 발생하는 거의 모든 것이 역설적입니다. 큰 수준의 시민적 자유가 사람의 **정신적** 자유에 이롭게 보입니다. 그러나 동시에 극복할 수 없는 한계를 만들어 냅니다. 반면 더 작은 수준의 시민적 자유에서는 그 한계까지 **정신적** 자유를 펼쳐낼 수 있는 공간이 생겨납니다. 자연이 단단한 껍질 안에서 가장 부드럽게 돌보던 씨앗을 틔울 때, 즉 **자유로운** 사유를 향한 추구와 사명이 생겨날 때, 정신적 자유는 점차 국민의 기질을 만들어 낼 것이며(이로써 점점 **자유를** 행동으로 옮길 능력이 됩니다), 마침내 인간을 기계보다 나은 존재로서 존엄성에 맞게 대하는 것이 유익함을 발견한 정부 체제의 원리로 화답할 것입니다.

1784년 9월 30일
프로이센 쾨니히스베르크에서

파르메니데스
Parmenides
515~450 BC

엘레아의 파르메니데스. 소크라테스 이전의 철학자로 지금의 이탈리아 남부 엘레아에서 태어났다. 서양철학사에서 최초로 형이상학을 설파한 철학자로 여겨진다. 또한 최초의 논리학자라는 견해도 있다. 그는 후대에 서사시 한 편을 남겼다. 원제가 무엇인지 알려지지 않았으나 통상 〈자연에 관하여On Nature〉로 언급된다. 파르메니데스의 철학은 서사시에 쓰인 것처럼 〈있음은 있음이요 없음은 있을 수 없다〉는 것이며, 존재하는 것은 〈하나〉로 존재하고 그것은 변화할 수 없음을 설파한다. 동시대에 살았던 철학자로 〈같은 강물에 두 번 발을 담글 수 없다〉고 말한 헤라클레이토스의 사상과 대립한다. 존재의 동일성을 강조한다면 파르메니데스요, 존재의 변화를 강조한다면 헤라클레이토스의 가르침을 듣는다. 파르메니데스는 플라톤 사상에 상당한 영향을 끼친 고대의 거인이었다.

파르메니데스의 단편 〈자연에 관하여〉는 일부만 전승된 서사시다. 학자들은 800개의 행으로 이뤄졌을 것이라고 추측하지만 현재 150개 정도의 시구만 단편으로 남아있다. 그것도 이런저런 문서에 흩어져 있는 것을 학자들이 한데 모은 것이다. 파르메니데스 서사시는 크게 세 부분으로 나눠진다. 서시, 진리편, 의견편이다. 서시에 해당하는 단편 1은 거의 온전히 전승됐다. 시인이 여신을 만나러 가는 여정이며 여신은 시인에게 진리의 길과 의견의 길로 구별되는 두 개의 길을 설파한다. 단편 2에서 단편 8 까지 여신의 말씀이다. 그리고 단편 8의 '내 신실한 말과 생각을 멈추노라'까지가 진리편이다. 여신은 시인에게 있음과 없음의 초월적이며 충만한 존재의 비경을 펼쳐놓는다. 그다음 마지막 단편까지 필멸자의 의견이 조각조각 펼쳐진다. 의견편의 시구는 많이 소실되어 있지만 진리편과는 또 다른 매혹적인 우주론이 담겨 있다. 여신의 가르침에 따르면 진리편이 옳고, 의견편은 진리에 가까운 거짓으로 잘못된 것으로 이해될 수 있지만, 전승되지 않은 내용이 많아서 판단하기 어렵고, 의견편에서 펼쳐지는 우주론에는 놀랄 만한 내용들이 있어서 단정하기 어렵다. 예를 들어 달에 관해 노래하는 단편 14와 단편 15에서 시인은 달이 지구를 공전하며, 달빛은 태양의 빛으로부터 비롯됨을 간파하고 있다. 2500년 전 형이상학의 창안자는 우주를 누구보다 섬세하게 바라본 탁월한 관찰력의 소유자였던 것이다.

3

자연에 관한 서사시

Parmenides Fragments

On Nature

단편 1

서시 | DK28B1

내 마음이 소망하는 저 끝까지

마차가 나를 태웠지

저 이름 높은 여신의 길 위에

나를 세울 때까지

여신은 모든 곳으로 나를 이끄시어

온전한 지식을 알려주시는 분

나는 달렸네

저 빠른 말들이 마차와 팽팽해져

나를 태워 달리니

천사[7]들이 나를 안내했네

---

7 영어로는 'maidens', 독일어로는
'maedchen', '처녀'로 바꿔 이해해도 좋
다. 그러나 '처녀'라는 단어의 한국어 어
감과 여신에 추종하는 지위를 감안하여
자연스러운 의미로 '천사'로 번역했다.

마차 바퀴 차축이 새된 피리같이

소리 내며 점점 날카롭게

양쪽 바퀴가 돌고 돌아

세차게 앞을 재촉했네

태양의 딸 천사들이 그리도 빨리

마차를 운전하니

밤의 거처를 떠나

빛의 입구에 이르렀지

천사들은 손을 내어 머리에서

베일을 벗었네

밤의 길에는 밤의 문이

낮의 길에는 낮의 문이

서 있었네

위아래로 석조가 둥글게 감싸고

문은 창공에 나 있고

창공이 문틀을 가득 채우고

복수의 표정을 짓는 정의의 신이

이 문의 잠금과 저 문의 잠금을 지배하니

천사들은 부드러운 목소리로

달콤한 말을 정의의 여신께 내어

능숙하게 설득하니 여신은

재빠르게 빗장을 풀어

천사들을 위해 문을 열어젖히니

그 문들이 활짝 열리네

문틀이 하품하듯 큰 틈을 만드네

먼저 이 문, 그리고 다음 문

청동 피벗이 돌면서

못과 리벳이 나와 문을 고정하면

천사들이 마차를 다시 몰며

말들이 문을 지나서야

그 길에 이르렀지

여신께서는 나를 환대해 주시며

내 오른손을 잡아 주시며

목소리를 내시어 이렇게 설교하셨네

젊은 인간이여,

불멸의 마부들이 쉬는 곳

나의 거처에 너는 이르렀노라

저 말들이 너를 데려다 주었으니

너를 환영하노라

어떤 불길한 운명도 없었구나

지체 없이 이 길을 달려왔으니

필멸의 인간 세계에서는 참으로 먼 길

그들의 아픈 길을 초월한 길

그것은 올바름과 정의였노라

너는 모든 것을 알아야 한다

납득할 수 있는 진리에 대한

흔들림 없는 가슴을

필멸자들의 믿음 속에는

참된 확신이 없음을

너는 알게 될 것이다

너는 배울 것이다

모든 것이 동일한 이것이

어떻게 존재하게 되었는지

모든 것이 함께할 때의

넘쳐나는 충만함을

단편 2

진리의 길 | DK28B2

오라, 네게 말하겠노라

너는 내 이야기를 새겨들어라

사유될 수 있는 대상을 찾는 길이 하나

있나니 있음의 길과

있지 않을 수 없는 길이 있노라

이는 설득의 길이요

진리가 그 길에 동행하도다

있지 않음의 길과

있지 않아야 하는 길이 다른 하나요

나는 네게 선언하노니

이는 아주 알 수 없는 길이로다

너는 없음을 알지 못하는 까닭이요

그것은 불가능한 까닭이요

너는 없음을 말하지 못할 터이요

단편 3
진리의 길 | DK28B3

생각되는 것은 있으며

있는 것이 생각되나니

그것은 모두 같은 것이니

단편 4

진리의 길 | DK28B4

있음에도

부재한 것을 지켜보아라

머릿속에 흔들림 없이 존재하노라

있음으로 한몸이 된 것에서

있음을 잘라낼 수 없을 테니

우주 모든 곳으로 흩어지겠느냐

흩어진 것이 다시 모이겠느냐

단편 5

진리의 길 | DK28B5

내게는 모두 하나이며

내가 거기서 시작하며

그곳으로 나는 다시

돌아갈 터이므로

단편 6

진리의 길 | DK28B6

있음은 있다고

말해지나니 또한 생각되나니

있음은 있을 수 있기 때문이요

없음은 있을 수 없나니

너는 이것들을 주시하라

이것이 내가 너를 제한하는

첫 번째 구도의 길

그러나 이 길에서 필멸자들은

아무것도 알지 못하며

머리가 둘인 채로

헤매는 자들

그들 가슴 속 혼란이

그들의 생각을 타락시켰구나

눈이 멀고 귀가 먹고 혹란하고

흐리멍덩한 무리가

있음과 있지 않음을 같다고 생각하고

또 같지 않다고도 생각하나니

그들에게는 모든 길이 회귀하는구나

단편 7

진리의 길 | DK28B7

있지 않는 것이 있다고는

결코 이뤄질 수 없으므로

이 구도의 길에서 네 생각을 금하라

너는 중독되지 마라

그 길에서 넘쳐나는 경험이

목적 없는 눈이며

소음 가득한 귀며

그리고 혀

내가 선언한

옳고 그름을 다투는 이 시험에

너는 이성으로 판단하라

단편 8
진리의 길과 의견의 길
DK28B8

길에 관한 이야기가 하나

남아 있으니 있음이라는 것

이 길에는 아주 많은 성좌가 있나니

있음은 태어나지 않으며

소멸되지 않으며

유래가 없으며

흔들림이 없으며

목적도 없는 전체로다

과거로도 없으며

미래에도 없으며

지금 다함께 있는 것이니

너는 그것의 태생을 알려고 하느냐

단독은 지속되니라

어떻게 어디에서 자라났느냐는 것이냐

나는 네게 불허하노라

없음을 말하지 마라

없음을 생각하지 마라

없기 때문에 말해질 수 없으며

없기 때문에 생각될 수 없나니

그 후로도 그 이전으로도 무슨 필요로

없음에도 시작하여 있음을 낳겠느냐

그러므로 온전한 있음이거나

없음일 수밖에

믿음이 강한들 없음으로부터는

무엇이건 있게 하지는 못할 터이니

이런 이유로 정의의 여신은

족쇄를 풀지 않노라

태어나는 것도 없으며

소멸하는 것도 없으며

여신은 단단히 쥐고 이들을 분별하나니

있음이 아니면 없음이요

이제 필연적으로 정해졌노라

저 한 길은 생각될 수 없으니

이름도 없는

진리가 아닌 길

다른 한 길은 있음의 길이니

진실된 길

어찌 있음이 소멸하겠는가

어찌 없음이 생겨나겠는가

없음이 생겨난다면 없음이 아니요

앞으로도 생겨나지 않을 것임이니

창조는 절멸돼 있고

파괴는 들리지 않고

나뉨이 없도다

모두 동일하므로

있음은 함께 하나이나니

어느 곳에서도 더하지 않노라

있음은 충만하나니

어느 곳에서도 덜하지 않노라

그러므로 모든 것이 연속되니라

있음은 있음에 다가가되

거대한 결속으로 제한되나니

움직임이 없노라

있음은 시작도 없고 중단도 없구나

탄생과 소멸은 저 멀리

참된 믿음이 쫓아냈으므로

동일함 안에 동일한 채로

스스로 있으므로

그곳에서 있음은 움직이지 않노라

굳센 필연성 때문이로다

있음은 저 제한하는 결속 안에 있으며

사방으로 구속되는 것

한계가 없는 있음은 합법이 아니로다

있음은 모자람이 없나니

모자라다면 모든 게 부족하지 않겠느냐

저 동일한 것은 생각하는 것

그러므로 생각이 있노라

나타난 것 안에는 있음 아닌 것이 없으므로

너는 이런 생각을 품겠느냐

있음에서 분리되어 없음이 있다거나

없음이 있을 것이라거나

허나 운명의 여신이 있음을 속박했도다

한 덩어리로

움직이지 못하도록

그리하여 수많은 필멸자가 명명한

이름을 갖게 된 모든 것은

진실되리라 믿는 것은

생겨나는 것과 소멸하는 것

존재하는 것과 존재하지 않는 것

장소를 달리하는 것과 안색을 바꾸는 것

허나 궁극의 제한이 있도다

있음은 완벽하노라

어느 곳에서나 균형 잡힌

거대한 구체 같이

중심에서든 어디든 똑같이 안정되나니

여기느냐 저기느냐 있음이 더하지도 않기 때문이요

여기느냐 저기느냐 있음이 덜하지도 않기 때문이니

있음은 존재하지 않음이 없고

동일해지려는 다가감은 중단되지도 않나니

이처럼 있음이란

여기서 더 많지 않노라

저기서 덜 있지 않노라

모든 것이 깨질 수 없으므로

모든 것이 어디에서나 같고

한계 속에서 한결 같노라

여기 나는 진리에 대한

내 신실한 말과 생각을 멈추노라

이제부터 필멸자들의 의견이니라

[8]내 가르침에서 거짓 명령에 귀 기울이며

두 개의 지식에 이름을 붙였으되

그중 하나는 명명함이 옳지 않나니

여기에서 헤매는구나

형태의 반대편 것들과

그들을 위한 성좌들을

서로 분리하여 구별하면서

저 하늘 화염의 불꽃은 온화하다는 것이다

무척이나 가볍다는 것이다

---

[8] 여기에서부터 단편 19까지 '의견의 길'에 해당한다. '진리의 길'과 달리 많이 소실되어 있다.

어디에서든지 그 자체로 동일하다고 하면서

그러나 다른 쪽은 같지 않다는 것이니

서로 일체인 이것

이 반대편은 컴컴한 어둠이라는 것이다

무겁고 단단한 형태라는 것이다

나는 네게 말하노라

이 명령은 온전하나니

필멸자들의 어떤 의견도

너를 능가하지 못하리라

단편 9

의견의 길 | DK28B9

그러나 세상 만물은

낮과 밤으로 호명받았지

각자의 힘에 따라

낮의 이름으로 이것

밤의 이름으로 저것

모든 것은 빛으로 가득 차고

모든 것은 어둠으로 가득 차고

둘은 같고

둘은 나누지 못할 게 없지

단편 10

의견의 길 | DK28B10

너는 알 것이다

창공과 모든 성좌의 본 모습을

타오르는 태양의 파괴적인 행동을

어찌하여 그것들이 존재하게 됐는지

너는 배울 것이다

둥근 달이 공전하는 행동을

그런 달의 본성을

너는 또 알 것이다

모든 것을 둘러싸는 하늘이

어떻게 나타났으며 필연의 여신이

어떻게 인도하고 속박했는지

별들의 한계를 지속하기 위하여

단편 11

의견의 길 | DK28B11

어떻게 지구와 태양과 달이
어떻게 만물을 품은 저 창공이
어떻게 은하수가, 저 먼 곳의 올림포스가
그리고 저 별들의 뜨거운 힘이, 그 요동이
어떻게 존재하게 되었는지

단편 12

의견의 길 | DK28B12

좁은 곳들은 순수한 불로 가득하고

다른 곳들은 어둠으로 가득하고

화염의 일부가 뿜어져 나오는

이 가운데 모든 것을 관장하는

수호신이 있으니

여신은 혐오스러운 태생을 다스리고

만물의 생식을 다스리고

여자를 남자에게 보내며

남자를 여자에게 보내며

단편 13
의견의 길 | DK28B13

여신께서 세상에 내신 모든 신 중에서 첫 번째

그 신이 바로 사랑이었지

단편 14
의견의 길 | DK28B14

밤에 빛나는 외계의 빛은

지구를 공전하는 저 빛[9]은

---

[9] 달에서 비쳐 오는 빛을 나타낸다.

단편 15

의견의 길 | DK28B15

태양의 빛줄기들을 항상 바라보는구나[10]

---

[10] 달빛의 생성원리를 묘사한다.

단편 15a

의견의 길 | DK28B15a

물에 뿌리를 내린[11]

---

[11] 지구에 대한 시구이다.

단편 16

의견의 길 | DK28B16

사지[12]가 정처없이 방황하고 섞이므로

사람 안에 정신이 나타났지

사람 팔다리의 본성은

생각하는 그것과 동일하므로

저마다 모든 이에게

생각이 충만하지

---

[12] 감각기관으로 해석된다.

단편 17

의견의 길 | DK28B17

오른쪽에는 소년들이 왼쪽에는 소녀들이

단편 18

의견의 길 | DK28B18

여자와 남자가 비너스의 씨앗을 섞을 때

서로 다른 혈관에서 나오는 힘들이

알맞은 비율로

균형 잡힌 몸을 빚지

씨앗들이 섞일 때

그 힘들이 서로 싸워

저 몸에서 단일체를 만들지 못한다면

두 개의 씨앗으로

자라나는 성을 괴롭힐 터이니

끔찍하게도

단편 19
의견의 길 | DK28B19

이처럼 그들의 의견에 따르면

이런 것들이 나타났고

지금도 존재하나니

이제부터 앞으로 자라나

소멸할 것이다

인간은 각자에게 저마다

서로를 구별 짓는 이름을 정했나니

편집후기

편집자들은 어떤 의도로

이 책을 기획하고 편집했던 것일까?

마담쿠: 우리가 출판을 기획하고 '저지르는' 일들에 대해서 저는 가끔 의심하고 회의감에 젖기도 합니다. 우리처럼 작은 출판사가 무슨 대단한 일을 하겠다고 이러나 싶기도 하고, 좀 더 쉬운 길을 가면서 출판을 기획할 수는 없을까 되묻기도 하고요. 철학이라니? 고전이라니? 너무 거창하지 않나? 이런 생각이 안 든다면 거짓말이에요. 처음 고전 번역 출판을 기획했을 때만 해도 번역체 문장에서 벗어나 자연스러운 한국어 문장으로 책을 만들어 보자, 이게 전부였거든요. 그런데 4년이 가깝도록 이 실험을 이어 오고 있잖아요? 이게 손이 아주 많이 가는 작업인 반면, 아직까지 독자들의 반응은 예상보다 조용합니다.

코디정: (웃음) 맞아요. 지금은 우리 둘이 함께 인내하고 있지요. 출판은 우리말의 모범을 만드는 일이라고 생각해요. 비록 고전번역이 창작문학처럼 언어세계를 만들어 가는 정도는 못 될지라도, 지식을 전하는 세계에서 언어의 모범을 실험하는 일은 편집자에게 여전히 중요한 일입니다. 하지만 제가 간과했던 것이 하나 있어요. 사람들은 이미 딱딱하고 복잡한 문장의 문어체에 익숙해져 있다는 거였어요. 그래서 단순한 구조의 평범한 문장으로 이루어지는 구어체 문장에 대해 어딘가 거부감을 갖더라고요. 심지어 더 어려워하는 듯한 심리적 반응도 보였습니다. 그 거부감이 어디에서 비롯된 것인지 생각 중입니다. 우리가 극복해야 할 과

제일 테니까요. 그래도 한계에 부딪힐 때까지 실험은 이어 가고 싶습니다. 언젠가 백기를 들라고 하면 백기를 들어야겠지만요.

마담쿠: 아, 그리고 짧지 않은 시간 동안 번역서를 세상에 내놓으면서 우리가 독자에게 해명해야 할 사항도 하나 생겼습니다. 바로 '중역'인데요. 기회가 될 때마다 이곳저곳에서 밝히기는 했지만 지금껏 편집후기에서는 명료하게 얘기하지 않은 것 같아요. 가끔 독자 리뷰에서, 번역 그 자체보다 '에이, 원문 번역이 아니네. 그렇담 볼 것도 없지'라는 익명의 반응을 접합니다. 중역이기에 책을 선택하지 않았다는 반응을 볼 때면 우리가 하는 이 선택이

과연 잘한 선택인가 하는 생각도 들어요. 하지만 이번 책에 포함된 텍스트 3개도 모두 영어 번역문을 기초로 한 중역이고(하하). 그래서 편집후기를 빌어서라도 우리 마음을 좀 설명해 드리는 게 좋을 것 같아요. 우리가 거리낌 없이 중역을 하는 이유는 이것을 통해 더 나은 성과를 낼 가능성을 봤기 때문입니다. 중역을 하면 편집자와 번역자가 번역에 대해 최소 두 번씩 확인하게 되고 이 과정에서 오류가 수정되며 더 나은 문장이 탄생하지요. 이것이 이소노미아가 중역을 선택한 이유입니다.

코디정: 네. 〈집단은 거짓이다〉의 원문은 덴마크어, 〈계몽이란 무엇인가〉는 독일어, 〈자연에 관한 서사시〉는 고대

희랍어입니다. 하지만 이 책은 모두 영어 번역본을 저본으로 번역됐습니다. 중역이지요. 만약 중역이 안 된다면 이 책의 기획도 없었을 것입니다. 현실적으로 적임 번역가를 찾지 못합니다. 그런 번역가를 찾았더라도 편집자들이 그 언어를 모르기 때문에 제대로 편집할 수 없습니다. 언젠가 덴마크어 원문을 번역했다는 키르케고르의 저술을 읽은 적이 있었는데, 우리말 문장이 너무나 비루해서 키르케고르의 세계에 입문하기 싫어졌습니다. 또 언젠가 고대 희랍어 원문을 번역했다는 고대철학자의 번역본을 읽으면서 구렁이 담 넘어가듯 이어지는 문장이 어떻게 철학에서 깊이를 빼버리는지 체감한 적도 있었습니다. 아마도 그 책의 편집자는 번역자의 작업에 개입하지 못했을 것입니다. 편집자는 번역자의 이름 뒤에 숨어버립니다. 그러면 관절이 다 꺾인 언어들이 지식과 지혜를 옮기지 못한 채 숨을 거두는 수많은 책이 양산되고 맙니다. 저는 그게 싫었습니다. 중역을 하면 실무적인 장점이 있습니다. 독자에게 더 좋은 번역 성과를 내기 위해 번역가와 편집자가 더 많이 노력한다는 거예요. '중역이니까 번역이 이따위'라는 지적은 번역가도 편집자도 사양하고 싶으니까요. 일단 검증된 영어 번역본을 저본으로 택한 다음, 다른 자료들을 두루 참고합니다.

마담쿠: 그렇다고 우리가 중역만 고집하는 것은 아니잖아요?

코디정: 그럼요. 우선 원서가 영어인 경우, 당연히 원문 번역이고요(웃음). 일본어 책도 원문 번역이었습니다. 앞으로는 프랑스어, 독일어, 중국어, 스페인어 등 다양한 언어로 쓰인 책도 펴내고 싶어요. 탁월한 번역가와의 인연이 필요하겠지요.

마담쿠: 그 전에 일단 우리의 언어 실험이 좀 성과를 냈으면 좋겠어요. 그래야 동력이 생길 테니까요. 이 책만 해도 완전히 이소노미아 스타일의 번역이잖아요? 구어. 자연스러운 우리말. 게다가 서사시까지! 사실 워낙 짧은 텍스트들이어서 정식으로 번역을 의뢰하기 어려웠어요. 다행히 키르케고르는 〈두려움과 떨림〉(근간)을 작업하던

서미나 번역가가 함께 번역했고요. 나머지 두 편은 편집자들의 몫이었어요. 다행히 분량이 적어서 고생이 덜했죠. 서사시 같은 경우, 코디정이 오래전부터 번역해 뒀던 회심의 카드가 아닌가요?

코디정: (웃음) 무슨 그런 말씀을. 파르메니데스의 단편들은 몇 년 전부터 조금씩 번역하긴 했어요. 서사시잖아요? 그래서 적어도 시의 형식은 갖췄으면 좋겠다고 생각했어요. 문제는 이게 온전히 전승된 텍스트가 아니라는 거예요. 다양한 해석과 번역이 존재하더라고요. 제가 학자가 아니다 보니 영어 번역본도 최소한 다섯 개 이상 다른 버전으로 읽은 것 같아요. 학자들의 논

문도 읽으면서 공부를 꽤 했어요. 고전을 번역하는 번역가의 고통을 직접 체험해 본 셈이지요. 어쨌든 고대의 대철학자 파르메니데스가 유일하게 남긴 이 웅장한 저작을 느끼고 싶은 독자에게는 꽤 괜찮은 선물이지 않을까 조심스럽게 생각해 봅니다.

마담쿠: 그런데 〈철학단편선〉을 읽는 독자들은 대체로 이런 의문이 들 거예요. 대체 이 책에 수록된 세 편의 공통점이 뭔가?

코디정: 편집후기의 진짜 시작지점이네요. 이 책의 기획의도.

마담쿠: 네. 지금까지는 편집자들의 넋

두리였고요. 어째서 우리는 공통점이라고는 찾아 볼 수 없는 이 세 사람의 철학자를 한데 묶었는지, 시대도 다르고, 사상도 다르며, 역사적인 배경도 다른 이 세 명의 할아버지를 한 권의 책으로 담았을까요?

코디정: 순전히 우연이었던 것 같아요. 이 짧은 텍스트는 모두 인류사에서 빛나는 텍스트이지만, 역설적이게도 분량이 너무 작아서 독자 대중들에게는 잘 알려지지 않았거든요. 한 권의 책이 될 수는 없었으니까요. 그러다 보니 외국어를 해독할 수 있는 극소수의 지식탐닉자에게만 읽혔던 것이죠. 그래서인지 어떤 식으로든 꼭 펴내고 싶었어요.

마담쿠: 우리가 그동안 출판 작업했던 고전은 대체로 엔솔러지, 선집이었어요. 같은 작가의 단편들을 하나로 묶는 작업이었지요. 버지니아 울프, 마크 트웨인, 나쓰메 소세키, 스콧 피츠제럴드의 책이 그랬습니다. 시중에는 여러 작가의 단편소설을 하나로 엮은 책들도 많잖아요? 그런데 그건 소설만 가능할까요? 여러 작가의 단편소설을 한 권의 책으로 편집할 수 있다면, 여러 철학자의 단편 에세이도 하나로 묶을 수 있지 않을까? 이런 생각까지 하게 됐지요.

코디정: 네. 그렇게 우리가 생각했습니다. 그렇지만 아직 원고가 준비되지 않았지요.

마담쿠: (웃음) 맞아요. 그때 우리에게는 원고가 없었죠. 대상도 정해지지 않았고요. 파르메니데스는 오래전부터 작업중이었으니 하나는 정해진 셈이었지만 그다음 갑작스레 임마누엘 칸트, 그리고 키르케고르의 단편을 정했습니다. 어째서 칸트와 키르케고르였을까요?

코디정: 먼저 키르케고르를 꼭 하고 싶었어요. 키르케고르의 〈단독자〉 개념은 제가 가장 애정하는 철학 개념 중의 하나였거든요. 게다가 계몽주의 이후 사상의 반열에서 쫓겨난 기독교를 다시 사상의 평원에서 독자와 함께 느껴보고 싶었어요. 대한민국은 개신교와 카톨릭을 포함해서 기독교가 차지하

는 비중이 매우 높은 나라잖아요? 무교, 불교, 개신교, 카톨릭이 거의 황금비율로 나눠져 있지만 그렇다고 해서 종교적 반목이나 차별은 없습니다. 극소수의 예외를 제외하고는 한국의 종교가 평화에 기여하고 사회복리에 공헌하고 있고요. 종교적으로는 상당히 열려있는 사회라 할 수 있겠지요. 키르케고르 할아버지의 이야기를 경청할 수 있는 좋은 사회적 토양이 있다고 생각했어요. 그래서 〈The Crowd is untruth〉라는 텍스트를 선택했습니다. 키르케고르 할아버지의 이야기를 경청하니 막 선동되는 기분이 들었어요. 내가 가고 싶은 신앙의 방향을 이 할아버지가 손가락으로 가리켜 주는 것 같았습니다. 옆을 보지 말고 네 안을 보라면서요.

마담쿠: 키르케고르의 '진리는 발이 빠르지 않다'는 문장이 기억에 남습니다. 거짓은 빠르기에 집단 속에 있는 인간은 느린 진리보다는 재빠른 거짓을 선택하리라는, 어찌 보면 당연한 얘기가 결국 'crowd'에서 벗어나 'single individual'이 돼야 한다는 결론으로 이어졌지요. 상당히 인상적이었어요. 그런데 방금 '계몽주의 이후 사상의 반열에서 쫓겨난 기독교'라고 했잖아요? 계몽주의를 대표하는 철학자를 뽑으라면 당연 칸트 할아버지고요. 칸트의 이번 텍스트를 읽어 보면 종교에 대한 이야기가 많아요. 파르메니데스의 서사시도 '여신'을 기독교의 '하느님'으

로 바꾸면 완전히 기독교 텍스트가 되
더라고요. 어쩌면 '종교'가 이 앤솔러
지에서 서로 다른 텍스트를 관통하는
키워드라는 생각이 들었어요.

코디정: 동의해요. 거기에 '생각'이라
는 단어가 동행했으면 좋겠습니다. 집
단은 거짓이라는 키르케고르의 명제
는 생각 없이는 다다를 수 없는 명제입
니다. 계몽은 무엇인가라는 질문에 칸
트는 "과감하게 생각하라"라는 답변
을 내놓습니다. 그리고 파르메니데스
의 서사시에서는 "너는 이성으로 판단
하라"라는 시구가 있습니다. 흐리멍덩
한 무리에 속지 말고 생각하라는 것입
니다. 편집하면서 이런 생각이 들기도
했어요. 종교라는 것은 어쩌면 우리 인

류가 가장 높은 수준으로 생각해야만 펼쳐지는 세계가 아닌가 하는 생각이 있었어요. 평범한 이성을 초월하는 이성으로 접근할 수 있는 세계 같은? 그런데 우리 세 분의 할아버지는 서로 공통되게 말씀합니다. 그 세계로의 입문은 사람들과 만나 토론해서 배워서 자격을 취득하는 게 아니라, 혼자, 과감하게 생각하여, 이성으로 판단하는, 진리의 세계라고요. 그 진리가 무엇인지는 제가 말할 입장은 못 되지만요.

마담쿠: 칸트 할아버지의 글을 읽고 문득 이런 생각이 들었어요. 칸트가 말하기를 18세기 후반의 독일 프로이센 시대는 '계몽된 시대'는 아니지만 '계몽의 시대'는 맞다고 했잖아요? 그럼 지

금은? 코디정 생각은 어때요? 지금은
계몽된 시대인가요?

코디정: (웃음) 글쎄요. 계몽된 시대라
고 말하는 건 어쩐지 인류가 종착점에
온 느낌이 들어요. 그래서 그렇지 않다
고, 부정적으로 말하고 싶지만, 어쨌든
지금은 좀 진전된 '계몽의 시대'가 아
닐까 생각합니다. 계몽의 핵심인 〈과
감하게 생각하라〉는 모토는 지금도 미
덕입니다. 창의적 혹은 혁신적인 생각
을 권장하는 사회 분위기에도 맞고요.
다만 여전히 인류는 '집단적'입니다.
편을 가르고, 자기 생각보다는 소속된
집단의 견해에 따르는 경향은 좀처럼
퇴색되지 않습니다. 어쩌면 칸트의 계
몽주의에 키르케고르의 단독자 개념

이 더해지는 게 다음 단계일 수도 있겠다 싶습니다.

마담쿠: 칸트는 워낙 유명하고, 키르케고르도 실존주의 철학자로 학교에서 배우니까 적어도 그 이름만큼은 우리에게 익숙해요. 하지만 상당수의 독자는 파르메니데스 할아버지를 잘 모를 것 같아요. 철학자 칼 포퍼는 파르메니데스의 철학에 매료되어 아주 두꺼운 해설서를 한 권 냈더라고요. 특히 단편 14와 단편 15에서 달이 지구를 공전하고 달의 빛은 태양 빛을 받아서 빛난다는 의미의 시구를 거론하면서 2500년 전에 어떻게 그걸 정확히 간파해 냈는지 놀랍다는 거예요. 이 소크라테스보다 더 연상인 파르메니데스에 대해

서 독자에게 간단히 소개해 주세요.

코디정: 플라톤의 저서 〈파르메니데스〉에서는 늙은 파르메니데스가 젊은 소크라테스를 만나 대화를 나누는 이야기를 다룹니다(이 서사시에 대한 플라톤의 해설서 같은 저작입니다). 그때의 파르메니데스를 일컬어 '모든 점에서 고귀하고 무언지 모를 심오한 느낌의 선생'이라고 했답니다. 저런 표현이 바로 〈서사시〉를 접한 제 마음이었는데요(웃음). 어쨌든 파르메니데스는 플라톤의 형이상학에 지대한 영향을 미친 고대의 거인이었습니다. 서사시에 기록된 것처럼, 파르메니데스는 '창조는 절멸돼 있고 파괴는 들리지 않고 나눔이 없도다 모두가 동일하므로 있

음은 함께 하나'라고 주장합니다. 탄생과 소멸이 없는 세계를 제시하는데 이런 견해는 지금껏 제가 들어보지 못했어요. 헛소리라고 말할 수도 있습니다만, 그렇게 지적하면 문학과 예술과 종교와 학문은 저마다 다른 색채의 헛소리라고 응수하고 싶어요. 근데 저는 그 헛소리가 편안하고 어쩐지 거기에 우리가 알지 못하는 깊은 세계가 있을 것만 같아요. 결국 파르메니데스는 변하지 않는 존재를 연구했던 것인데, 그걸 우리는 형이상학이라고 부릅니다. 형이상학의 아버지, 파르메니데스입니다.

마담쿠: 이리하여 우리가 또 한 권의 책을 세상에 내놓습니다. 부디 독서가

의 두 손에 이 책이 들리기를 간절히
소망합니다. 감사합니다. 수고하셨어
요.

코디정: 네. 고생하셨습니다.

독서가를 위해

정성껏 만든 책

엥케이리디온 내 맘대로 되지 않는 세상에서 살 아남고 싶을 때	에픽테토스 | 2022-03-15 | 신혜연 옮김 | 172쪽 | 12,000원 외투 주머니 속에 넣고 다니며 매일 한 문장 씩 읽고 싶은 삶의 지혜.
바다의 발견	김영춘 | 2022-02-15 | 268쪽 | 15,000원 아, 대한민국은 해양국가였지. 잊고 있던 당 연한 사실을 일깨우는 죽비 같은 책.
공리주의	존 스튜어트 밀 | 2021-01-12 | 정미화 옮김 | 212쪽 | 12,000원 인문 고전 번역의 새로운 모범을 찾는다면. 그리고 지적인 자극이 필요하다면.
아오지까지	조경일 | 2021-12-15 | 204쪽 | 13,000원 소설보다 더 소설 같고 영화보다 더 영화 같 은 체험담. 세 번 탈북한 소년의 나라는?
웃음	앙리 베르그송 | 2021-11-15 | 신혜연 옮김 | 260쪽 | 12,000원 재능 과다의 철학자가 펼쳐 내는, 아, 이 깊 고 풍요로운 웃음의 세계란.
수상록	정세균 | 2021-04-15 | 310쪽 | 15,000원 올바름에 관한 탁월한 에세이. 한국 정치에 이런 깊이와 따뜻함이 있었다니.

고통에 대하여	김영춘 | 2020-12-22 | 372쪽 | 18,000원
	너무 재미있고 감동적이라 첫 장을 펼치면 끝까지 읽게 되는 숨가쁜 책.
휴머니타리안 솔페리노의 회상	앙리 뒤낭 | 2020-11-05 | 편집부 옮김 | 272쪽 | 15,000원
	인류사를 바꾼 기념비적인 책을 찾는다면.
굿머니	김효진 | 2020-11-02 | 260쪽 | 15,000원
	내가 기부하는 돈이 이렇게 흘러가는구나. 이렇게 따뜻하고 인간적인 돈이라니.
스물여섯 캐나다 영주	그레이스 리 | 2020-09-25 | 176쪽 | 12,000원
	인생의 플랜 B는 언제나 우리 곁에 있다. 그 사실을 알아가는 젊은 에세이
무너져 내리다	스콧 피츠제럴드 | 2020-05-25 | 김보영 옮김 | 332쪽 | 15,000 원
	이런 신비한 책은 본 적이 없다. 그래서 사람들이 피츠제럴드, 피츠제럴드 하는구나.
소나티네	나쓰메 소세키 | 2019-04-30 | 김석희 옮김 | 304쪽 | 15,000 원
	이것이 나쓰메 소세키. 일본문학의 정수를 체험하고 싶은 독자에게는 선물 같은 책.

최면술사	마크 트웨인 | 2019-03-25 | 신혜연 옮김 | 216쪽 | 13,000 원
	읽는 내내 키득거리게 만드는 유쾌한 책. 지루할 틈이 없다.
굿윌 도덕형이상학의 기초	임마누엘 칸트 | 2018-09-04 | 정미현 외 2인 | 236쪽 | 13,000원
	도덕철학사에서 가장 중요한 한 권의 책. 독서를 통해 직접 칸트를 이해하고 싶다면.
WHY	버지니아 울프 | 2018-09-04 | 정미현 옮김 | 184쪽 | 12,000원
	버지니아 울프를 제대로 알고 싶다면, 그녀가 던지는 '왜'라는 질문에 먼저 입문하기를.